그저...

마음 하나 빌리다

그저... 마음 하나 빌리다

2021년 2월 12일 초판 1쇄 발행
2021년 2월 12일 초판 1쇄 인쇄

지은이 　｜송다영, 김미선, 황수진, 정소영, 김동철

인쇄 　　｜아레스트 (s-lin@hanmail.net)
표지 　　｜studio GRIME (ceo@studiogrime.com)

펴낸이 　｜이장우
펴낸곳 　｜꿈공장 플러스
출판등록 ｜제 406-2017-000160호
주소 　　｜서울시 성북구 보국문로 16가길 43-20 꿈공장1층
전화 　　｜010-4679-2734
팩스 　　｜031-624-4527
이메일 　｜ceo@dreambooks.kr
홈페이지 ｜www.dreambooks.kr
인스타그램｜@dreambooks.ceo

잘못 만든 책은 구입하신 서점에서 바꾸어 드립니다.

꿈공장+ 출판사는 모든 작가님들의 꿈을 응원합니다.
꿈공장+ 출판사는 꿈을 포기하지 않는 당신 곁에 늘 함께하겠습니다.

ISBN 　｜979-11-89129-82-8

정 가 　｜13,000원

그저...
마음 하나 빌리다

송
다
영

우리는 쓰여야만 한다.
그리고 써야 한다.
몰아치는 감정의 파도에서
살아남기 위해서는
거친 물결 속 내가 지나온
나의 기록이 있어야만 한다.
그 기록은 수평선 너머에 있는
섬의 지표가 되어 줄 것이다.
우리는 쓰여야만 한다.
삶의 끝, 도달해야만 하는 섬을 따라서.

시는 체험으로부터 시작되며
그것은 나의 일생에 거쳐 완성될 것이다.

< 입 없는 말 >

김
미
선

어느 것 하나 계획대로 되는 일은 없었습니다.
모든 갈림길은 오솔길처럼 구불구불 돌아
어디로 가는지도 모른 채 휩쓸려가곤 했습니다.
예상대로 되지 않는다고 절망할 필요는 없습니다.
지금 선 이곳에서 저는 행복하니까요.
이렇게 제 이름으로 된 책도 한 권 생겼으니
삶은 참 기대치 못 한
행운을 맞이하는 과정인 듯합니다.

instagram   @piaf__e
blog   blog.naver.com/ann1867

< 나의 달 나의 오렌지 꽃 >

황
수
진

단단해 보이는 껍데기 안에
'파손 주의' 스티커가 붙어있는
fragile 심장이 있다

유리처럼 쉽게 깨지고
상처 입기 쉬운 사람이지만
글을 쓰며 마음의 치유를 얻고
지극히 나를 위한 글을 쓰는 사람이다

언젠가는 많은 사람을 위한
이타적인 글쟁이가 되기를 소망한다

instagram   @seogyo_
email   amadozy@gmail.com

* fragile; 부서지기 쉬운, 깨지기 쉬운, 취약한, 섬세한

< 마지막까지 사랑 >

정
소
영

싱잉볼 Singing bowl은
노래하는 그릇이라 불리는
히말라야 지역의 명상하는 도구입니다
조화로운 우주의 진동 소리로
심신 이완과 뇌파를 안정시켜줍니다

'글쓰는 앳지'로 활약하며 많은 상담을 통해
삶의 혜안과 철학을 깨닫고
싱잉볼 진동 속 울림처럼 여운을 남기는
글을 꾸준히 써오고 있습니다

복잡한 인생 미로 속에 갇혀
절박한 심정으로 세상을 향해
날갯짓하는 이들에게
삶의 팁이 내장된 싱잉볼 같은
시로 위로가 되고 싶습니다

instagram   @writtenbyso
blog   m.blog.naver.com/j5372086

< 싱잉볼 Singing bowl >

김
동
철

글씨를 쓰기 위해 글을 썼습니다

지금까지 걸어왔던 이야기
잊혔다가 순간적으로 떠오르는 이야기
머릿속에서 왕왕거리는 글말을
모으고 모아 시(詩)라는 글을 만들었습니다

좋게 예쁘게 표현은 잘 못 합니다
다만, 제가 쌓은 이야기를 그대로 표현하려
애썼습니다
이해나 공감을 바라진 않습니다
그냥 이런 이야기를 가진 사람이 있구나
봐주시면 좋겠습니다

instagram   @kedong_calli
email   kedong0321@naver.com

< 폭탄머리의 인생 고찰 >

입 없는 말

시인 송다영

코로나로 인해 모든 것이
해일에 뒤덮인 것만 같은 삶을 살고 있습니다.

우리는 그럼에도 불구하고
우리만의 물장구를 치며 나아가고 있지요.

저는 이 파도가 곧 잠잠해지기를 바랍니다.
입 없는 말로, 지쳐버린 당신께 마음으로 가닿습니다.

_ 시인의 말

지금, 한강

수만 개의 손으로 피어난 벚꽃잎이
흐드러지게 만개하고
이내 4월의 눈으로 녹아 내리면

누군가의 엄마와 아빠와
언니와 오빠와 내 전부인 사람이
흘려보낸 마음인 줄도 모르고

눈 앞에 가까이 다가가 만지면
영영 잃을 봄이 되겠지
오늘의 꽃은 내일에 피어날 꽃일 테니.

그저... 마음 하나 빌리다

명복

사람은 저물어 가는 노을과 같아
해가 반짝 떴다가 아름답게 지는 모습이 말이야

저마다의 색은 다르지만 보랗게 노랗게 번지며
다음 해를 기다리라고 말해

하지만 밤이 찾아오면 또 하나의 별로
우리를 밝혀주니 슬플 건 하나도 없어

우리는 해가 되었다가도 별이 되는
반짝이기 위한 삶을 살아가고 있잖아.

새가 죽은 자리

그 무덤에서는 썩은 내가 진동했다
하늘을 휘젓던 날개는
자유롭지 못했던 몸통을 기리듯이

공간을 부유하며 단 한 순간도
마주하지 못한 구름의 눈을
사라지는 찰나 드디어 본다

종말의 현장에서 똑바로 누워
잘 살다간다 말을 못 할지언정
내 날개가 저 뭉클한 생을 퍼덕였음을.

그저... 마음 하나 빌리다

집의 집합

그리움, 기억을 더듬어 보는 일

전구, 따스함을 비추는 일

취미, 마음을 다스리는 일

시집, 문학을 향유 하는 일

축약, 나를 추려내는 일.

우리는 어쩌면

자꾸만 헝클어지는 요즘 같은 하루에는
가만히 가만히 있어도 괜찮지가 않아요

언제쯤이면 할 일 없이 보낸 하루가
반갑게 느껴질 수 있을까요

우리는 어쩌면 허무하게 지나간 하루 때문에
슬퍼할지도 모르겠어요.

그저... 마음 하나 빌리다

오늘의 불면

또 잠 못 드는 시간이 찾아오면
어제 보았던 무지개를 꿈꾸며

눈이 부신다는 핑계를 대고
목 놓아 꺽꺽 울어 본다

제발 잠이 들게 해주세요
내일을 아프지 않게 보낼 수 있도록.

흔한 것들의 흔하지 않은

길가에 핀 나팔꽃, 통통한 길고양이
건강한 사람들, 떠밀려 온 비눗방울

나비를 닮은 구름, 맨질거리는 하늘
사람의 온기를 기억하는 그네

그저... 마음 하나 빌리다

바다는 어디 있습니까

우리가 찾던 조개껍질은
더 이상 백사장에 없습니다

푸른 산호초는 저 멀리
물안경을 끼고 맨바닥을 기면서

잊혀진 타이타닉호는
은빛 반지와 함께 녹슬어 갑니다

우리가 찾던 바다는
어디에 있는지 찾을 수 없습니다.

그해 여름

더울 거라 쏟아대던 기상청의 예보는 틀렸다
여름의 슬픔에 속아 꿉꿉하고 비가 넘치던 날들

눅진한 바람이 어느새 밤공기처럼 깊어지더니
여름은 소리 없이 떠나려 하고

살아남은 귀뚜라미들이 대신 울어주더라
그해 여름은 대신 우는 사람들이 너무 많았다.

그저... 마음 하나 빌리다

바다를 위하여

그날은 몰랐지
밀려오는 파도가 그저 예뻐서 담았던 건데
작년의 바다 곁에서 행복했던 내가 있었네

그때는 몰랐지
찰랑이는 파도가 그렇게 부서지길 반복하고도
자꾸만 떠밀려 오는 게 얼마나 고단한 일이었는지

지금도 모르지
손에 쥐고 있는 건 한 줌조차 모아지지 않는 기쁨과
여전히 바다를 동경하지만 헤엄치지 못하는 나뿐이니

그래도 모르지
차라리 물이었다면 작은 강을 꾸려 흘러가다
바다가 되는 꿈이라도 꾸었을 텐데.

멍

눈꺼풀은 소리 없이 감긴다
가만히 하릴없이 뜨고 지새우다가
겨우내 잠든 나의 눈

눈꺼풀이 잠을 자른다
여전히 창밖은 변함없이
아무도 없는 눈.

삼오일체

고요히

가만히

외로이

여전히

조용히

2021

우리는 또 소리 없이 잠길 거야
울음소리 없이 눈이 감길 거야

범람해오는 고요의 바다에서
사람이 해일처럼 밀려오는 꿈을 꾸겠지

손에 손을 잡지 않아도
하나가 되는 바람은 언젠가 불어 올 거야.

그저... 마음 하나 빌리다

입과 입

이것은 소리가 없습니다
죽은 자의 내일은 불러 오지 않지요

이것은 폐부를 찌르며 깊이 박힙니다
오늘이 가면 내일은 돌아 오지 않는다고 하지요

이것은 입이 있습니다
내일에는 닫힌다고 하지요.

심야 점멸시간

심야 점멸시간에는
두 가지 기도를 한다

신호등조차 잠드는 밤에는
기웃거리던 환영의 그리움도 눈 감기를

불 하나 겨우 깜빡대는 새벽에는
눈 뜬 채로 버틴 지금도 잊히기를.

그저... 마음 하나 빌리다

고장 난 세계

이 나라는 여름이 고장 났다
덥지도 않은데 에어컨이 가동되는 나라

이 나라는 단풍이 병들었다
푸르게 질려서 반만 익은 모양의 나라

이 나라는 더 이상 아무도 살지 않는다
물이 마르고 땅이 갈라져 무엇도 피지 못한 나라.

밤의 진심

때로는 한 문장을 넘어서기 위해
모든 밤이 필요하기도 합니다

내가 적어낸 일기가 누군가를 향한
편지가 되는 순간들 말입니다

마침내 닿지 않는 빈방의 밤을 보내면
그제야 독백임을 알고 지새우는 밤처럼요

진심은 잘 죽지 않습니다
언어의 기능을 상실할 뿐 밤에는 지워지지 않지요.

그저... 마음 하나 빌리다

왕관의 무게

나는 당신의 파란 입을 알아요
뻐끔뻐끔 가여이 숨 쉬며
빠르게 깜빡이는 아가미처럼

호흡은 불온하게
일렁이는 폐부는 하얗게
어딘가 질린 모양이에요

그것은 왕관을 등에 덥고
다시 한번 뻐끔뻐끔 파란 입이
하얗게 질리도록 아가미가 좁혀졌어요

낮의 구정물

불안과 불면이 서로 맞닿을 때
생각의 구정물은 고이기만 한다

고요히 흘러내려 잠식되는 순간에
속절없이 밑으로 가라앉는다

촘촘히 쌓인 구정물들은 깊이의 끝과 끝에서
진흙으로 이루어진 나를 뭉친다

태양에도 녹지 않는 생각의 구정물은
언제쯤 출처를 찾아 문밖으로 나갈 수 있을까.

그저... 마음 하나 빌리다

당신의 송전탑은 안녕하십니까

사람이 뭐라고 이어져 있는 것들이
자꾸만 내 하늘을 가린다

나는 참 막막하다
전깃줄과 다름없는 우리가

가느다란 선으로 겨우 서로를 붙잡고
송전탑의 미약한 수신호로 이어져 있는 우리가

검게 늘어져 하늘을 가리는 것 같아도
잘라내면 아무것도 할 수 없는 우리가.

방의 독백

살아가다 살아내는 삶이 되어도
잔혹하게 몰아치는 파도 속에서도

우리는 빈방의 꿈과 허공의 현실처럼
위태로운 생의 바다에서 속절없이 휩쓸리면

언제나 그랬듯 잠겨 죽고만 있을 것인가 아니면
마침내 빈방의 꿈으로 허공의 현실을 그릴 수 있을까

134340

은빛 물고기가 무리 지어 밤에 떠다니고
노란 가로등이 보름달 대신 켜있는 곳에

모자란 마음들과 비워진 감정들과
기억되지 못한 수많은 이름이 헤엄친다.

잡히지 않는 주파수

다시는 여름이 오지 않을 것 같은 얼굴을 하고
끊어진 무지개를 이어 비가 오기 전으로 돌리고

도로 위에 피어난 애처로운 풀잎이 회색빛 되고
봄이 아직 이 도시를 오기 망설이다 지나가면

우리는 언제쯤 사계에 놓여
목 놓아 엉엉 울어볼 수 있을까.

그저... 마음 하나 빌리다

헹굼 버튼

무언가를 헹구는 행위는
지난날의 죄책감을
씻겨내는 일련의 일상행동

머리를 감는다
설거지를 한다
빨래를 한다

그러나 우리에게는 헹굼 버튼이 없다
탈수되며 말라가기만 하는 인간
세균에 찌든 사람만 있는 세계.

악의 꽃

머릿내로 범벅이 된 베개에
다시 머리를 뒤집어 묻고
얼굴 끝까지 덮어쓰면

어느새 한 뼘 다가온 밤의 손짓이
한 올 한 올 살랑이며
내 머리카락을 쓰다듬네.

그저... 마음 하나 빌리다

한 끗 차이

저는요
타고나기를 예민하고
감수성이 풍부한
이상하게도 우울한 사람이에요

있잖아요
우울에는 모든 시작점이 있어요
곪다 보면 언젠가 불꽃이 아니라
폭탄처럼 터진답니다.

2시의 저주

너는 모른다
깊지도 않지만, 누군가에게는 저주받은
새벽 두 시의 잔향과 붉은빛을

나는 고독을 본다
죽지 않을 정도의 깊은 잠투정을 보아라
더 이상 투정이 아닌 투쟁이라 불리는 지금을.

그저... 마음 하나 빌리다

사소한 우울

포카리스웨트 뚜껑을 잃어버렸다
잠가야 하는데 자꾸만 질질 샜다

혼자서는 아무것도 할 수가 없었다
아무도 이곳에 있지 않았다

닫지 못해서 계속 마셔야 하는 음료처럼
빈 공간에서 밥을 먹다 보면 눈물이 났다

때로는 눈물이 시도 때도 없이 질질 샜다
그저 포카리스웨트 뚜껑을 잃어버린 것뿐인데.

우울한 아가미

저는요 종종 우울해요
가끔 터널 속에 정차되어 있기도 해요

그러다가 잡념에 울기도 하고
숨 쉬는 게 힘들어서 뻐끔뻐끔 거리기도 해요

저는 금붕어가 아니라 아가미도 없는데
세상이 바다가 아니라면 숨이라도 잘 쉬어야 하잖아요.

불꽃놀이

내 곪은 방에 폭죽을 달고
터트리면 밤하늘을 수 놓는 별빛

상처를 슬픔에서 기쁨으로 극복하여
기적이라 이름 짓고 결국 닳아 버리면

어둠 속에 유일한 불꽃일랑
곪은 것들이 터지는 하늘이 내게 다인데

우울의 강은 깊이 말라 빨갛게 익어가는
내 세상만 남아 나는 자꾸만 타 죽었다.

여전히 사계

겨울에는 내가 숨 쉬는 게 보여서 좋고
봄에는 꽃이 만개하는 게 부러워서 좋고

여름에는 살랑이는 별냄새가 떠 있어서 좋고
가을에는 시들어 가는 줄 알았는데
다시 꽃봉오리를 기다리는 나 같아서 좋아요

여전히 사계네요
나만 변하고 그 무엇도 변치 않은 사계네요.

그저... 마음 하나 빌리다

우울의 순기능

이곳은 네가 버린 우울들이
눈물처럼 쏟아지는 행성이야

파란 슬픔도 있고
노란 실패도 있고
보란 후회도 있어

너의 우울을 모아
슬픔을 덜어내고 울음을 지워내면
반짝이는 밤하늘의 별로 띄워 보내는

이곳은 네가 버린 우울들이
별자리로 쏟아지는 행성이야.

사람의 기원

살아있는 것 때문에
사라지는 것들

숨을 쉬고 빛을 내는 것들 속에
훌쩍이다 이내 엉엉 터진 우리

결국 살다 사라질 신체의 가냘픈 기록
그 틈에 정의된 사람이라는 우리.

입 없는 말

어느 청년은 손으로 숨을 쉰다고 했다
손에 입이 달려 있어서
먹는 것부터 뱉는 것까지 할 수 있었다

가령 물고기의 아가미 같은 것이라고 했다
현란한 말은 손으로 지어지기 시작하고
어제는 1,090명이 죽었다고 했다.

눈, 사람

공간의 열린 틈 사이로
부유하는 눈은
다른 형태와 무게를 가졌다.

하늘에서부터 땅까지
추락해야만 하는
삶의 목적을 가슴에 품고

검은 밤에는
우주의 별들이
하얗게 쏟아져 내린다

하나의 모든 것을
뭉쳐서 저마다의 꿈을
육각형으로 간직한 채

바람에 밀려가며
더디게 혹은 달려서
땅으로 떨어진다

우리는 눈
다른 속도로 종말에는
추락해야 끝나는 삶을

우리는 눈
진눈깨비든 함박눈이든
빛나는 하얀 별.

감정유착

외롭지 않기 위해 시간을 덮어쓰고
태어나다 죽기를 반복했지
행위들의 껍질을 벗기고 씌우며

익숙해지지 않는 감정의 파동에
끝끝내 부서졌고 메마른 손으로
겨우 쌓아 올리면 아침은 밤이 되었어

그렇다면 계절을 향해 달려가다가
돌부리에 걸려 넘어진 건 누구였을까
오늘은 누가 죽었던 거지?

그저... 마음 하나 빌리다

사하라

내 마음에 푸른 도마뱀이 넘실거린다
끝없는 움틀거림에 온 을 발버둥 치며
스스로를 쳐내다가도 힘껏 끌어안아 뭉쳐진다

우리는 온몸에 절망을 품고 산다
그곳에 희망이 있다
절망하는 순간 피어나는 꽃봉오리

희망은 만개한다
파도 없는 바다는 푸른 사막의 신기루
녹지 않는 눈사람은 영원히 오지 않는 봄.

벌새

바다가 그리울 때는
다리 밑을 봐

물결은 물이 모여든 곳에
언제나 살아있어

사람이 그리울 때는
바닥에 드러누워 눈을 감아

낮은 곳에 있을 때
가까이 닿는 것들이 가장 따뜻해.

해의 기도

새벽의 틈으로 불안의 밤과
새로운 아침이 경계를 짓고
지나간 어제가 다가오는 오늘로 넘어가면
나는 행복해질 거야

무수한 오늘에 속았던 날들은
배게 밑에 숨겨두고, 켜켜이 쌓여있던
밤의 목소리를 이불과 함께 털어 버리면
나는 행복해질 거야.

나의 달 나의 오렌지 꽃

시인 김미선

전하지 못한 마음을 글로 써 내렸을 뿐입니다.
형태가 없는 것을 눈에 보이게끔 다듬었더니
그 본질은 어느덧 사라지고 없더군요.
뒤돌아본 그때의 나는
마치 처음 보는 사람처럼 새롭습니다.

보답 받지 못한 마음은 왜 그토록 크고 뜨거웠을까요.
당신은 무엇이 그토록 특별했을까요.

풍선에 난 바늘구멍으로 조금씩 공기가 새어나가듯
종이에 새어 나온 마음은 평온히 흩어졌습니다.

행복하냐는 물음에 조금 덜 망설이며
대답하는 요즘입니다.

_ 시인의 말

나의 달

가로등 사이 사라진 달은
네가 되어 계단을 오른다
온갖 네온사인이 무색해지도록
환하게 웃던 너

그저... 마음 하나 빌리다

봄

이른 봄이었지
네가 웃었어
꽃이 피었고
봄은 지나갔지만
꽃은 지지 않았어

오렌지 꽃

세상이 정원이라면
모든 이는 꽃일진데
그중에서도 너는 흰 꽃이어라
진한 향으로 코끝을 어지럽히는
하얗게 핀 오렌지 꽃

그저... 마음 하나 빌리다

고백

당신은 아실는지요
오렌지 향을 머금고 온 이가 누구인지
꽃말은 순결이오나
별들의 선악을 재는 푸른 보석입니다
생명이 피어나는 계절을 건너
무더운 태양을 기울이고 선한 바람을 가져온
흐드러지는 눈꽃에도 영롱할 한 사람
그대의 목소리는 공기 중으로 퍼져나가
모든 사랑하는 이의 메아리가 됩니다
부디 멈추지 말고 가시기를
당신이 노래하지 않으시면
세상 모든 이의 가슴에 사랑이 꽃피지 않습니다

보름달

너는 샐쭉 지은 미소 하나로
가타부타 말도 없이
내 하늘을 차지한 보름달이 되었지만
자리만 꿰차고 도무지 떠오르질 않으니
나의 밤이 밝을리야

그저... 마음 하나 빌리다

바람 부는 강가에서

'네가 좋아'

말로 하기보다
꽃을 한아름 안고
바람 부는 강가에 서야지
향기로 너에게 전해지도록

내 마음 속 바다

물결이 흐르는 상상을 해
햇빛을 받은 연록색이 반짝이는 상상

잔잔한 파도가 일렁이는 그 속에
너와 내가 나란히 누워 손을 맞잡는 거야

조금 재잘거리다가
조용히 눈을 바라보다가
잠깐 입을 맞추었다가 다시 손을 잡고

어느새 어두워진 밤하늘을 바라보며
끝없이 별들을 헤아려보자

별자리마다 맺힌 이야기들을 도란도란 나누며
네가 흠뻑 웃을 때마다 나도 따라 웃을래

그저... 마음 하나 빌리다

사라진 별들이 아직도 빛나는 것처럼
우리를 존재하게 하는 체온 그 이상으로
영속하는 무언가가 남기를 간절히 바랄 거야

이 순간이 영원할 수 없단 건 믿지 않을래

눈을 감으면 그곳엔
언제나 바다가 펼쳐져 있을 거니까

탄생화

오렌지가 열리기 위해
어떤 꽃이 피는지 생각해 본 적 있을까
오렌지도 꽃을 피운다는 사실에
관심이나 가져봤을까

어쨌거나 네가 태어난 날에는
오렌지 꽃이 피었다기에 나는 그렇구나 싶었다

그 하이얀 꽃잎이나
상큼한 향이나
달디 단 과육 같은 것들이
너와 어울리지 않을 이유가 없었으니까

그저... 마음 하나 빌리다

달이 비친 창문

나는 작은 풀벌레가 되었다
어디서인지도 모르게 찌르르 울며
아무도 모를 노래를 부른다
창가에 앉은 그리운 그림자 되어
쏟아지는 달빛에 파묻힌 너를 향해

나의 오렌지 꽃

꽃잎이 흩어지듯 웃는 너의 모양새
파란 하늘 아래 더욱 청명히 빛나는
순백의 오렌지 꽃

너는 네가 꽃임을 모른다
그러므로 넌 나만의 꽃이다

아니

내가 너만의 나비인지도
꽃은 그저 그곳에서 흔들릴 뿐
홀연히 흘려 머문 것은 나이기에

달이 빛나는 밤에

모두가 어둠 속을 스쳐 지나가던 그날 밤
그곳에서 너는 홀로 빛나며
꽃의 향기를 부르고 있었지
나는 찔레꽃이 되고 싶었어
그 밤만큼은 오월의 향기가 되어
너의 노래가 되고 싶었어

밤사색

당신께 시를 선물하고 싶어요
과하지 않게 너무 티 나지도 않게
당신에게 전할 마음이 있거든요

그러나 아무리 시집을 뒤적여봐도
시인들의 마음이 다 달라서
내 맘 같은 글귀를 찾을 수가 없네요

별수 없이 편지를 써야겠어요
골라 담을 말이 너무 많아 막막하네요
마침표를 찍기가 왜 이리 어려운지
애꿎은 펜촉만 닳아 무뎌져 갑니다

그저... 마음 하나 빌리다

가을맞이

봄보다 설레는 가을이어요
어찌 그러하냐 물으신다면
내 맘 속 물들은 오렌지 향 때문이지요
내 그리운 님은 오렌지꽃을 피우지 않았겠어요?

까만 눈

그런 눈은 처음 봤다
갈색이 아닌 눈
동공도 없이 새까맣던 눈

가까이서 그 눈을 바라보고 싶은 욕구를 느낀다
진실로 칠흑처럼 검은지
아님 내가 보지 못한 다른 색이 있는지
천천히 그 눈동자를 훑어보고 싶다

흰 볼에 손바닥을 대어 가까이
아주 가까이 끌어당긴 채
부산히 깜빡거릴 그 눈을 보고 싶다

내가 너를 보듯이 너도 나를 보는
한 뼘이나 될 직한 그 거리에서
눈을 마주치고 싶다

그저... 마음 하나 빌리다

검은 것도 빛이 나던가
유리알처럼 빛나는 네 눈동자에
내가 비치는 것을 보고 싶다

태어나서 처음 타인을 보는 것처럼 너를 보고 싶다
뒤돌아서면 잊어버릴 것처럼 오래도록 바라보고 싶다

보다보다 눈이 시려 눈물이 고이면
그 김에 울어버려도 좋겠다
너는 그저 가만히 있어도 좋다
멀리서는 볼 수 없을
아주 가까이에서만 볼 수 있을 너의 눈을
한 번이라도 더 보았으면 할 뿐이다

마음의 계절

아무리 계절이 지나도
내 마음속엔 늘 낙엽이 졌습니다
그럴듯한 나무 한 그루 없이
발에 채이도록 낙엽이 쌓였지요
차마 겨울도 되지 못하고 그렇게
가을로 머무른 지 좀 되었습니다
지금은 그냥 그렇게 덤덤히 사는 중입니다
어여뻐하지 마세요
당신도 어느 날은 가을이지 않았습니까

123456

너는 말했다
시간이 열한시였는데
다른 이를 그리워하다 새벽녘이 되었노라고
그 시간 동안 내가 너를 그리워한 것은 모르고
그 사람과 달빛을 보지 못 해 아쉽다던 너는
나도 같은 달을 보았음을 알긴 할까

별똥별

저 밤하늘에 별똥별이 떨어진다면
불타오르다 추락하는 것은 내 쪽일 거야

속눈썹이 파르르 떨리도록
간절히 기도하는 네 모습에
나는 차라리 별똥별이 되고 싶은 심정이니까

만약 네 소원 때문에
공룡이 멸종됐다 한들 어떡하겠어
네가 싫다면야 어쩔 수 없지 뭐

설령 네가 내일 세상이 멸망하길 소원한대도
난 그저 네 옆에 있을 수 있기를 바랄 거야

네 곁에 있을 수 없다면
세상이 내일 멸망하든 백만 년 뒤에 멸망하든
그런 게 다 무슨 소용이겠니

그냥 별똥별이 내 소원도 들어주면 좋겠어

네가 기도를 마치고 눈을 떴을 때
마법처럼 나를 사랑하게 해주세요

세상이 내일 멸망한다면
오늘 나를 사랑하게 해주세요

너는 결국 무슨 소원을 빌었을까?
별똥별은 또 내 소원만 그냥 지나쳤나 봐

바다여행

바다에 다녀오면
다 털어냈다고 생각했는데도
꼭 어딘가에 모래 한 줌이 있잖아

네가 그래
이젠 안 그럴 때도 됐지 싶은데
맘 속 어디 한 구석에서 꼭 나타나

그저... 마음 하나 빌리다

겨울 그 거리

너를 앞서 걸을 때 바람이 불었다면
나의 향기를 네가 알아챘을까

그 거리가 잠시나마 조용했다면
흥얼거리던 사랑 노래를 네가 들었을까

그 수많은 사람들이 잠시만 멈춰 섰다면
널 향한 나의 눈길을 네가 보았을까

마주침 없이 엇갈리기만 하던
시려운 어느 날의 기억

잊혀진 별

눈에 보이지 않는 부피를 느껴본 적 있나요
당신 앞에서 나는 늘 행성을 껴안고 있는 것 같아요
무겁다고 불평 한마디라도 할 수 있다면 좋을 텐데
이 별을 끌어안은 채 가라앉고 있는 내 모습 따위
당신에겐 보이지 않겠죠
당신은 달만 한 중력으로 나를 끌어당겨요
더없이 환하게 빛나는 나의 달
당신으로 인해 난 이 우주를 홀로 맴돌아요

그저... 마음 하나 빌리다

갈수록 아름다워지더라

너는 매일 새롭게 태어난다
대리석을 깎아낸 조각상처럼
다듬어지고 완벽해진다

달콤한 꿈과 악몽을 넘나드는 환상

너는 나를 조각내었다가도
그 조각들을 어루만지는 모순이다

나의 갈라테이아
응답받을 신이 없어 숨결을 받지 못한 비극

갈수록 아름다워지는 것이 무엇인지 너는 모른다

아무리 애써도

어디서부터 다시 시작하면
너를 좋아하지 않을 수 있을까

찬바람에 네가 지워질까 싶어서
홀로 바닷가를 걷곤 했어

또 보자던 그 흔한 인사말에
저 파도처럼 부서지곤 했어

어딜 봐도 너이던 모든 순간들이
밤마다 천장에 그려지곤 했어

그저... 마음 하나 빌리다

그리움에 지쳐 잠에 들면
꿈속에서도 네가 웃지 않았지

철렁 내려앉은 가슴으로 눈을 뜨면
세상은 아직도 파란 새벽이야

열병엔 시간이 약이라던데
시간이 너무 천천히 흘러서
별수 없이 너를 추억하다 보면
또 날이 새곤 했지

벽

어느 날은 누가 그럽디다
이 벽에 못을 박아야겠다고
그리하여 못을 박았더니
후두둑 시멘트가 떨어지지 않겠어요
내 저 못 하나에 이 벽이 무너지겠구나 했지만
상처가 나고 못이 박혀도 무너짐은 없었지요
그 모습에 오히려 나는 한숨이 나더랍니다
차라리 무너졌다면 그대 아셨을 텐데
어여쁜 그대는 영영 모르시겠지요

그저... 마음 하나 빌리다

아가미를 잃어버린 물고기

물속에서 숨 쉴 수 없는 물고기는
바다에서도 육지에서도 고통뿐

호흡을 앗아간 이를 원망도 못 하고
달만 바라보는 어리석음이 가엾다

저 달은 네 소원을 이뤄주지 않을 텐데
야속하게도 구름 한 점조차 없어
환히 빛나는 달을 바라보는 것을 멈출 수 없겠지

파도가 밀려와 물고기의 폐에 물이 차오른다
숨이 더욱 가빠오는데도
달이 지지 않아 물고기는 그 자리를 떠날 수가 없다

밤을 써내리며

편지를 쓴들 네가 읽을 순 없겠지만
그래도 쓰고 또 써본다

닳아 없어지려는 마음을
그렇게라도 달래보고자

눈물 대신 펜 끝을 흐리며
너를 어디라도 보낼 수 있도록 써내려보지만
이 마음 외엔 도착할 곳이 없어
우표도 붙이지 않고 고이 접어둔다

그저... 마음 하나 빌리다

모든 외로움은 너에게로부터 와서 삶이 되었다

웅크리고 누워 매미처럼 꿈을 꾸었다
햇살 찬란한 여름을 기다리며 겨울을 버티지만
추위는 도통 물러갈 생각을 하지 않아서
얼굴을 묻고서 참 많이도 울었다

그 어떤 날도 슬픔에 이기는 날은 없었다.
간절히 바라던 부질없는 소망
소망이 죽지 않아 고통도 죽지 않았다
네게로부터 온 것을 나는 그저 앓을 수밖에

타다 남은 재가 되어서도 바람에 흩날리지 못 한
서글픈 마음을 그저 끌어안고 울었다

무명의 마음

너는 다른 이를 사랑이라 부르기에
나는 너를 함부로 부르지 않았다
줄 수 없는 마음을 그저 삼키고 삼키며
언젠가 닳아 없어지기만을 빌었다
이름도 없이 떠나야 할 나의 마음
마음에도 안녕을 고해야 할 때가 있으나
보낼 방법을 몰라 그저 미련스럽게 아팠다

그저... 마음 하나 빌리다

감상동화

나 할 수 있는 것이라곤
그대가 건넨 몇 마디 말로
온갖 희망을 끌어모아 부서지는 일뿐
그리울 때마다 말 한마디 건넬 수 있었다면
수천 마디가 되어 하나의 이야기가 되었을 텐데
영원히 끝나지 못할 나의 이야기

들꽃

네가 날 싫어라 한 그날부터
나는 너의 곁을 원하지 않는다
나는 그저 네가 가는 길 위에
잠시 햇볕을 가려줄 그늘이고 싶고
목마름을 달래줄 가느다란 이슬이고 싶으며
너의 발치에서 은은한 향기만 풍기는
이름 모를 들꽃이고 싶다
가끔 너의 콧노래라도 들려온다면 더할 나위 없겠다

그저... 마음 하나 빌리다

광야

꽃 한 송이 피어나지 못할
오로지 너 하나만 태어나고 죽는 광야
그 한가운데 선 너를 향해 순례를 떠난다
영원히 손끝 하나 닿지 않을 것을 알면서
신기루처럼 미소 짓는 너를 열망한다
너의 사막을 잠시 쉬어갈 안식처도 없이
발이 부르트도록 처량히 맴돌 나의 영혼
희미한 너의 향기를 찾아 나는 끝없이 헤맨다

기도

신이 너를 만들었다면
너를 위해 나를 만들지는 않았을 터
실낱같은 운명도 주지 않고서
왜 너를 만나게 하였나
그 얄궂은 신은 이리 괴로워하는 나를 보고
즐거워하였음이 틀림없다
그럼에도 나는 그에게 기도하는 수밖에
내 눈으로 볼 수 없을 너의 앞길을 밝혀달라고

그저... 마음 하나 빌리다

너의 이름

네가 사랑이 아니라면
잠들지 못 한 새벽만큼 깊어지는 것을
무어라 이름 지어야하나

쓸쓸히 시들어가며 죽어도
너의 꺾인 꽃 한 송이가 될 수 있다면 나는 좋았는데

끝없이

너를 사랑할 때 나는 넘쳐흐르는 강물이었는데
지금은 닫혀버린 바위가 되었다
강은 마르지 못해 괴로웠으나
바위는 흐르지 못해 괴롭다
너를 추억하는 미련을 이끼처럼 두르고
망부석처럼 이곳에 멈춰 서버렸다
사랑하지 않음으로써 너를 잊을 줄 알았더니
어쩜 너는 흔적조차도 그리 짙은지

저 너머

네가 사라져 간다
꿈속에 빠져드는 것처럼
서서히 희미해진다

네 이름을 부르고 싶어도
소리 내는 법을 잊은 것처럼
입만 빠끔거릴 뿐이다

어느샌가는 너를 잊은 것도 잊어버려
덤덤히도 삶을 산다

그렇지만 이따금씩 너는
발치에 떨어진 나뭇잎 한 장에도
아픔을 담아 보냈다

그러하면 난 그 자리에 머물러
잠시 너를 추억하나 떠났나
다시 덤덤히 살아보려
애닳는 널 두고 떠났다

민들레

어느 날은 민들레가 되었으면 좋겠다
하얗게 저문 민들레 꽃씨가 되어
누군가 훅 불어주는 바람을 타고
너의 어깨에 살짝 내려앉도록
'나는 민들레여요'
네 귓가에 짤막이 속삭이고는
다시 어딘가의 바람을 타고 날아가 버려야지

작별인사

안녕 잘 지내나요
여전히 아름다운가요
아직도 밤하늘은 새카만 중이에요
당신이 아니면 누가 나의 달이 되겠어요

이제 당신은 초승달을 닮았네요
아쉬울 만큼 차오르지 못했지만
그것으로 충분하지 않겠어요

요즘 나는 낮을 걷는 중이에요
행복을 묻는 질문에도 조금 덜 망설여요
모두들 그러겠죠
조금 망설이며 사는 거겠죠

잘 가요
오늘이 마지막 안부 인사였어요
전할 수 있던 인사는 없었지만요
당신이 떠오르던 밤은 아름다웠어요

안녕

마지막까지 사랑

시인 황수진

이별은
사랑의 시작만큼이나
뜨겁고 절절하고 아름답습니다
못다 한 이야기와
나누지 못한 감정들이
안쓰럽게 여운으로 남아
한동안 푹 앓는다 해도.

이별의 마지막까지 사랑이었음을
깨닫게 될 때 우리는 감히
'사랑했다'라고 말할 수 있는 것이지요

당신의 이별은 마지막까지 사랑이었습니까?

_ 시인의 말

너를 기다리는 시간

너는 만나기 전에도
이렇게 행복을 주는구나
또 얼마큼의 예쁨으로
내 곁에 와 꽃처럼 피어날까
향기로운 네게 취해
정신이 아찔해지는 나는
네 품에서 뜨거운 내 심장을 느끼겠지

저만치서 네가 보인다
달려가 네 손을 잡고
너를 당겨 안고 싶다

그저... 마음 하나 빌리다

마음의 속도

시작은 함께했는데
당신의 마음에는 가속이 붙어 숨이 차다
천천히 물 들듯, 스미듯
그렇게 아껴서 꺼내 주고 싶던 마음이지만
당신은 답답하고
나는 가쁘다

길에 뿌려진 슬픔

언제부터 당신의 눈을 보면
서글프고 답답했다

늘 사랑을 확인하려는 당신의 몸짓이
마주 보는 당신의 불안한 눈빛이
나는 슬펐다

당신의 한숨에 나는 어쩌지를 못했다
당신이 원하는 만큼의 사랑을
확인시켜 주지 못해
나는 늘 죄인이었다

웃으며 만났으나 웃으며 헤어질 수 없었다
집으로 돌아가는 길엔
늘 한숨과 답답함과 불편함이
거리 구석구석에 슬프게도 깔려있었다

그저... 마음 하나 빌리다

미안해요

당신의 모든 것이 되기에
나는 참 작습니다

당신이 내게 주는 사랑은 나를 다 적시고도
당신의 눈물로 흘러넘칠 거에요
그러니 모든 걸 주려 하지 말아요
당신의 예쁘고 다정한 마음부터 보살펴요

미안해요
당신을 담기에
참 작은 나라서

그물

마지막 사랑이라 믿었는데
당신보다 더 나를 사랑할 사람
세상없다 느꼈는데

그 엄청난 사랑의 무게에
내 마음 눌리어
아픔이 한숨으로 터진다

당신의 사랑 모르지 않으나
그 촘촘한 마음의 무게는
정말이지...
호흡하기도 버겁다

내 잘못

다정함이던 그 마음이
짙은 농도의 그 마음이
언제부터 집착으로 느껴지고

부딪히는 사소함에도
의연하지 못했던 건
당신 탓만은 아니겠지

켜켜이 응어리를 올려두고
안일하게 무책임하게 쌓아둔 내 잘못

그런 마음을 방치한 나의 잘못

헤어지러 가는 길

당신에게 이별을 말하러 갑니다
예뻤던 우리의 마음이
원망이 되고 미움이 되기 전에
이제는 이 사랑에
점을 찍겠습니다

당신은 어쩌면 짐작하겠지요
밀려드는 이별의 예감에
무너지고 있을 당신일 테지요
가던 발길 멈추어
두 눈에 차고 넘쳐 흐르는
절절했던 우리의 사랑을
손으로 훔쳐내고
아리고 아린 가슴을
쓸어내립니다

그저... 마음 하나 빌리다

하지만 더는 어쩌지 못하고
이제 당신에게 이별을 말하러 갑니다
한때 찬란하고 아름답고
너무나 소중했던 우리 사랑이

너덜너덜 넝마가 되어 가는 것을
더는 견딜 수가 없기에

침묵 1

건조하고 숨이 막힐 듯한 침묵
묵직이 느껴지는 너의 감정
부디 내가 짐작하는 그것만은 아니길
안타까운 나의 손끝이
네 어깨에 닿지도 못하고
애처로이 떨어진다

그저... 마음 하나 빌리다

그럴듯한 이유

나무들도 적당한 간격으로
더욱 풍성히 자랄 수 있는 거라고

사랑도 적당한 거리를 두고 해야
더욱 깊이 굳건하게
완성될 수 있는 거라고

나에게 치우치는
당신의 마음이 버거워서
무겁고 답답해서 둘러댄

그럴듯한 나의 이유

침묵 2

끝이라는 너의 말에
난 한동안 침묵했다
떨리는 내 손이 네 손에 가 닿았지만
차갑게 거두는 네 손이 낯설어
난 다시 침묵했다
침묵 속 공기의
엄청난 밀도에 난
숨이 멎었다

그저... 마음 하나 빌리다

마주할 시절

당신을 본 순간부터 다른 세상이었다
모든 것을 가진 듯 부족함이 없었다
절로 피어나는 기쁨에
꿈속을 거닐 듯 행복했다
그랬다

희미해지는 기쁨과 황홀함을
어떻게든 부여잡고서라도
그 시절로 돌아갈 수만 있다면

알고 있다
당신의 눈물로도
나의 그리움으로도
다시는 돌아가지 못할 그 시절

그리고 우리가 마주할
아프고 시릴 이 시절을

분명한 이유

나는 이제 당신이 아닌데
당신은 여전히 내가 맞다고,
돌아서는 나를 돌아 세워
악을 질렀다가 절절하게 바라보았다가
팔을 부여잡고 흐느낀다

한때는 분명 사랑이었기에
당신의 팔을 거두어 내리는 내 손이 아프다
하지만 당신은 내게 죄책감이고
나는 당신에게 슬픔이니
여기서 돌아서는 게 맞다
우리는 끝내 서로에게 아픔으로 맺힐 것이
분명하기에.

너를 향한 걸음

네게 가 닿지 못함에
답답하여 젖은 밤길을 걷는다
너는 이별이라는데
나는 아직 이토록 사랑하여
미칠 것 같은 내 가슴이, 내 발길이
또 너를 향해 걷는다

걷고 또 걸어
너에게 닿을 수만 있다면
나를 반겨하는 너의 미소를
다시 한 번 볼 수 있다면
몇 날 밤을 새서라도
너를 향해 걷겠다

변명

이별을 말하고 일어서는
내 눈에 눈물이 맺힌다
내 몸과 마음에
구석구석 새겨진
당신의 흔적

우리는 사랑했지만
결이 달랐다
그뿐이다

내겐 당신을 인내할 만큼의
마음 그릇이 없었고
당신을 담기에 부족한 내가
당신을 사랑할수록
더욱 초라해지는 내가
가진 선택지는 이별뿐이었다

그저... 마음 하나 빌리다

아팠겠다

언제부터였을까
네가 이별을 생각한 지
그동안 넌 참 아팠겠다
퍼붓는 나의 고백에도
마지못한 웃음을 짓느라 힘들었겠다
뭐든 주고 또 주던 내 모든 것이
너에겐 무거운 죄책감이었겠다

네가 먼저 아팠겠다
이별을 생각한 순간부터
너는 가슴에 돌을 얹고 지냈겠다
내가 매일 그 돌에 돌을 얹었겠다

그냥 가세요

더 이상
나를 찾지 말아요

잘하겠다는 말도
미안하다는 말도
아직 사랑한다는 말도 말아요

더는 의미 없는 말로
나를 흔들어 놓지 말아요

그냥 가세요
바라는 건 그뿐

그저... 마음 하나 빌리다

어느 새벽

그립던 네가 꿈에 나와
잠이 깨는 밤이면
짐승 같은 소리는
내는 것밖에 할 수 없는 나

나의 새벽을
애달픔과 그리움으로 물들이는 너
언제까지 넌 내게
슬픔으로 흘러내릴까

그만해도 되겠다

이제 그만하자
무거운 공기를 가르며
서로를 비켜가는 것도
안쓰러운 질문에
공허한 답을 하는 것도
어두운 낯빛을 하고서
식탁에 마주 앉는 것도
경멸에 찬 눈빛으로 바라보다
스스로 자책하는 것도
책임이나 의무를 핑계 삼아
어쩌지 못하고 망설이는 것도
그 시절의 너와 나를 기대하는 것도
울고 원망하고 지랄 맞게 싸워대는 것도
너와 나의 잘못이지만, 우리의 잘못은 아니다
그러니 우리 이제 제발... 그만하자
그만해도 되겠다

너의 세상

너에게 나는 꿈이라 했다
우주고 세상 전부라 했다
너의 세상은 이리 초라하고
볼품이 없었구나

나는 결국 네게
슬픔으로 맺혔다
그 슬픔이 차고 넘쳐
너의 세상은
모두 잠기게 되었구나
부족한 내 세상에서
너는 많이도 울었겠다
넘쳐 흐르는 너의 눈물에
나 역시 잠기었다

회상

당신을 만나기 위해 곱게 화장을 하고
따뜻한 꽃내음 나는 향수를 뿌리면
설레어 부푼 마음이
내 몸에 날개를 달아
당신이 있는 곳으로 데려 놓는다
저만치에서 상기된 얼굴로
나를 기다리고 있는 당신
이내 환하게 빛나는 당신의 얼굴

이제는
설레어 부풀던 나의 마음도
나를 기다리던 당신의 뒷모습도
빛나던 당신의 미소도
이렇게 예쁘게 하느라 늦었구나 하며
너스레 떨던 당신의 착한 농담도
다시는 돌아오지 못할 아름다운 찰나
떠올리면 서글퍼지는
너무나 찬란했던 그 시절

뒷모습

너의 뒷모습을
눈에 담는다
마지막까지
끝내 담고 싶은
너의 모습
눈물 고여 흐려지는
네 모습이 안타깝다

삼키고 삼켜도
차고 넘치는 슬픔이
내 가슴 흠뻑 적시고
뜨거운 눈물이
심장을 녹인다

후두둑 떨어지는 눈물에
너의 모습도
나의 아픔도
모두 흘려 버릴 수 있다면

부질없는 소리

먼저 헤어짐을 생각했을 때도
혼자 미안함에 괴로웠을 때도
넌 그토록 예뻤구나

부서뜨리고 가루 낸 너의 마음을
다시 어루기엔 이미 늦은 걸까

헤어진다 해도
아무에게도 줄 수 없다
너도, 내 마음도

그저... 마음 하나 빌리다

그런 너와 나

아이처럼 웃어주는 너
꽃보다 더 꽃 같은 너
미안해하는 얼굴이 귀엽기만 한 너
토라질 때는 사랑스러워 죽겠는 너
사랑을 말할 땐 숨이 멎게 하는 너
그런 너...

그런 너를
이제는 놓아달라고 하는 너
더 잘하겠다는 의미 없는 말로
흐느끼는 너를 잡을 수밖에 없는 나
네 눈물에 잠겨 허우적거리다
끝내 침식될 수밖에 없는 나

이 자리에

이제 간다며
미련도 후회도 없다는 너인데

이제 가도 된다며
잡지도 잊지도 못할 나인데

너와 난 왜 아직
이 자리에 서 있는데.

그저... 마음 하나 빌리다

그럴 리 없지만

행여 네가 아플까
먼저 돌아섰지만
멀어지는 걸음걸음마다
흠뻑 젖은 마음이 눈물 되어 떨어졌다

행여 기다릴까
전화기를 들었다 내렸다 했지만
어쩌지 못하고 내뱉은 한숨만
허공으로 흩뿌려졌다

그렇게 떠나

애매한 여지는 주지 마라
흠뻑 앓아야 하는 것도 내 몫이고
너의 잔향을 온전히 감내하는 것도 내 몫이니
너는 최선을 다해
내게서 멀어지길 바란다

잔여물이 남지 않을 만큼의
시간이 필요한 나를 위해
돌아보지 않고 떠나는 배려로
내게서 멀어져 가라

그저... 마음 하나 빌리다

통증

헤어지면 후련할 줄 알았는데
모든 곳에 당신이 있다
눈뜨고 감는 순간까지
당신이 있다

당신이 더 아프겠지
종일 당신 생각에
몇 번씩 무너지는 나는
당신을 찾을 자격도 없는데

당신도 나를 염려할까
이기적인 내 사랑이
후회와 아픔에 뒤섞여
송곳 되어 가슴을 후벼 찌른다

아직은

당신의 따뜻한 체온이
내 언 몸을 녹이고
당신에게서 느껴지던
편안한 내음이 나를 재우고
당신의 모든 속삭임은
송이송이 꽃이 되어
내 가슴속에 흐드러지게 피었다

아직은 사랑이지...
아직도 이리 생생하니
아직 사랑이다

그저... 마음 하나 빌리다

언제쯤

소중하게 하는 방법만 아는 당신을
전부를 주는 방법만 아는 당신을
그런 당신을
잊는 법을 배워야 하겠지

실컷 슬퍼하는 법을
내 몸에 스며든
당신의 다정함을 잊는 법을
온 힘을 다해
이제 나는 배워야겠지

부디

언제 이별을 말할 수 있을까
애처로운 나의 당신
가슴이 먹먹하다
미안한 마음에
고개를 떨군다

제발 당신이
먼저 말해주기를 바라는
이기적인 나를
부디 용서치 말길
영원히 떠나
다시는 나를 찾지 않길 바라는
못돼먹은 나를
부디 영영 잊어주길

그저... 마음 하나 빌리다

사랑이었다

당신은 사랑받기 위해 애썼다
당신은 사랑을 하고 있었지만 늘 외로웠다
내 작은 움직임에도
당신은 크게 행복해하고 절절히 슬퍼했다
그 크기를 가늠할 수도 없어 나는 아팠다

하지만
당신이 믿건, 믿지 않건
나는 당신을 사랑했다
분명, 나도 사랑이었다

아무래도 괜찮다

분명 난 사랑이었다
네 생각만으로도
가슴이 벅찼고 행복했다

너의 눈물에
나는 그냥 다 무너져내리듯
쓸리고 아팠다
다 주었고 더 주고 싶었다

하지만 너는...

여전히 내게 사랑이고
너를 위해 어떤 것도
줄 수도 버릴 수도 없으니

너의 마음이 어떻든
아무래도 괜찮다

그저... 마음 하나 빌리다

너란 시절

너의 대담함과 사랑스러움에
속수무책으로 빠져버린
찬란했던 너란 시절

너를 사랑하기 전엔
알 수 없던 삶의 풍경들
내 인생에 불쑥 들어온 너를
언제라도 잃을까 전전긍긍했지만
너였기에 눈부셨던 그 시절

주고 다 주고서라도 붙잡고 싶던
너란 시절

쏟아지는 외로움

당신은 날 참
아까워하고 사랑해주었는데
당신의 마음을 당연하게 받고
당신이 주는 모든 것에 익숙해진 난

여기 혼자 남아
쏟아지는 절절한 외로움을
온몸으로 맞고 있다

그저... 마음 하나 빌리다

흔한 사랑

애틋했지만 원망은 없어요
변색 된 우리의 사랑
눈물은 흐르지만
당신의 행복을 바라요

후회하지 않아요
한때 절절히 사랑했음은 분명하니까
이렇게 끝나 버릴
남들과 다름없던 사랑

소원

웃는 모습이 참 예뻐서
너를 항상 웃게 해주려
그것으로 되었다는 마음으로
사랑했으니

내가 너에게 눈물 되어
네 볼을 적신다면
나는 더 이상 네 곁에
남아선 안 되겠지

그리하여 언제까지나
너의 웃음과 행복과
모든 기적을
진심으로 소원한다
안녕.

그저... 마음 하나 빌리다

진심

당신이 정말 싫다고
제발 가버리라고
모질게 밀치고 돌아섰지만
당신은 좋은 사람이었습니다

내 삶의 어느 한 장면에
머물러 줘서 고마웠어요

진정 행복하길

다시 피어나길

너의 이유를
아직도 이해할 수 없지만
이제는 놓아 주겠다
애처롭던 나의 마음이
더 이상 초라해지기 싫어서가 아니다
안타깝게 바라보는 너의 눈빛을
더는 견디기 힘들므로

그토록 사랑한 너는 더 이상 아프지 마라
시듦을 멈추고 부디 다시 피어나길
그 시절 참으로 아름답던 너로

이제는 되었다

이제는 충분하다
다시 갖지 못할 너란 시절
우리의 최선은 여기까지

이제는 괜찮기를 바라
오래 같이 있어 좋았다.

싱잉볼 Singing bowl

시인 정소영

지금 흘리고 있는 소중한
땀 한 방울 눈물 한 방울이
언젠가 당신 삶을
비춰 줄 빛이 되어
당신 곁을 찾을 겁니다

고난과 역경도 결국 때가 되어야
찾아온 그 길로 나가는 것임을

언제나 살아가는 자세가
'삶' 그 자체임을

오늘도 잊지 않았으면 합니다

_ 시인의 말

사랑이 지나간 자리

태풍이 훑고 지나간 자리에는
처참한 몰골 속 흔적만이 남아 있다

상처가 훑고 지나간 자리에는 상처만 남듯이

절절했던 너와 나의 사랑이 지나간 자리에는
우리 사랑만이 남아 있다

상처 말고 아픔 말고
사랑을 사랑으로 답하리라

그가 우리 사랑을 그 느낌을 기억할 수 있게

어떤 역경이 와도 쓰러지지 않도록

지나간 그 자리가 그에게
쉬어갈 안식처가 될 수 있기를 기도하리라

괜찮아 지금 가도 돼

괜찮아
지금 가도 돼

노력해도 안 되면
그땐 쉬어가도 돼

지치고 힘들 땐
조금씩 가면 돼

결국
조금 쉬어가도
늦게 가도
누구나
목적지에 이르게 되어있어

그러니 괜찮아 지금 가도 돼

흔들리는 그대에게

그대는 지금 두려움에 흔들리고

끝없는 집념으로
오늘 밤도
힘겹게 버려내고 있지 않으신가요

될 듯 말 듯 하다 풀릴 듯 안 풀리는
고비고비 어지러운 인생길

그곳에서 홀로
고군분투하며
견뎌내고 있는 건 아니겠지요

언제나 울고 있네요
그대는

그저... 마음 하나 빌리다

가슴속 맺힌 핏빛 서러움조차
뱉어내지 못한 채
꺼이꺼이 삼키며

오늘 밤도 쉬이 잠들지 못하네요

때론
차가웠고
딱딱했고
회색빛깔 같았던
삶은 언제나 누구에게나
그러했으니

그대여 혼자 너무 서러워 마요
아파 마요

D 네 잘못이 아니야

A 너는 하늘이고

B 너는 빛이고

C 너는 바람이다

D 너는 그 안에서 흔들리는 나무일 뿐

그러니
흔들리는 건
D 네 잘못이 아니야

그저... 마음 하나 빌리다

오늘 말고 내일 울어

오늘 말고

내일 울어

그렇게 하루씩

버려 가는 거야

삶은

오늘 하루 온전히

살아내기만 하면 돼

지금 모습 그대로도 괜찮아

어떤 모습에 나일지라도
사랑해야 해

세상 밖으로 나오는데
주저하느라

생애 속
가장 멋진 당신과
가장 이쁜 당신을

모두 떠나 보낼 수 있으니

지금 그 모습 그대로도 괜찮다

이 삶은 그 누구의 것도 아닌
오롯이 당신 것이니깐

인생 시스템

현실은 늘
빼앗았던 사람들은 기억조차 못 하는데
빼앗겼던 사람들은 평생을 잊지 않고 살아간다

무언가 자신에게 득이 된다 생각하면
앞뒤 재고도 없이

그게 사람이든 물건이든
어떻게 회유해서라도

자신의 손아귀에
넣고 마는 강탈자들

그러고선 말한다
"이건 내가 가져가는 것이 아니라
네가 나한테 준거야"

자영업자

나는 내일을 모릅니다
다만 오늘 하루를 버티며
'잘'살아낼 뿐입니다

나는 내일을 어떻게 살아갈지
누구를 만나게 될지

또 어떤 예기치 못한 상황에
맞닥뜨리게 될지 모릅니다

다만 찾아온 오늘에 집중할 뿐입니다

매일 하루살이 인생처럼
날아오르다가
저무는 삶에 익숙해 버린 날

사람들은'자영업자'라 부릅니다

그저... 마음 하나 빌리다

불륜

그녀의 서러움

그의 고독함

그녀의 아찔했던 삶

그의 엇나간 마음

거기서부터 시작되었다

잡초

어떤 험지에 있어도

꺾이는 법도
물러서는 법도
모르는
이름 모를 풀 한 포기

물 한 줌
빛 한 줄기 있으면

꾸역꾸역 돋아나
그 누구도 알아주지 않는

세상 속
푸르름이 된다

그저... 마음 하나 빌리다

소유

나에게 없는 것만

부족한 것만

그토록 찾으며 살아서

늘 내가 가난했던 것은 아닐까요

내 몫의 인생

누가
알아주든
몰라주든

그것 또한
내 몫의 인생이다

섭섭해 마라
그것이 인생이고
배움이다

그저... 마음 하나 빌리다

버리기

그렇게 힘이 들면
이젠 그만 내려놓아도 돼요

해도 해도 끝까지

안 되는 일 붙잡고
안 맞는 사람 붙잡고

세상 속 안되는 것에 매장되어
이젠 그만 고통받으시길 바래요

세상 안에는 여전히
당신과 맞는 일과 사람이
훨씬 더 많이 있음을 잊지 말아요

그러니 내가 쓰러지기 전에
내려놓으셔도 돼요

진심 없인 진실 없지

기억은 조작된다

'내' 입장에서도
'상대' 입장에서도

생존코자 각자 유리한 상황 전개로
'관점화' 된다

인간의 생존 본능에 기인한
뇌 영역 내 자연스러운
현상처럼 말이다

우리는 그것을 진실이라고 말한다

마음이 아닌 머리가 말하는 진실
진심 없인 진실이 없다는 것을
알면서도 말이다

그저... 마음 하나 빌리다

너 자신을 믿어

너의 선택과 너 자신을 의심하지 마

네가 아프면 그건 아픔인 거야
네가 기쁘다면 그것 또한 너의 기쁨인 거야

너 자신을 믿어
다른 사람 눈치를 보며
손해 보는 인생 따윈 살아가지 마

'누구 때문에'
'상황이 이래서'

아무리 변명하고 원망한들
되돌릴 수 없는 인생인걸
어떻게 해

수많은 선택 속엔 늘 네가 있어야 해

수고했어요

당신에게 수고했다
말해줄래요

수고 참 많았어요
우리네 삶이 어쩜 수고 그 자체였죠

누구나

인생에서
사랑받고
사랑하던
순간들은 쏜살같이
지나가고

결국에 남은 건 수고였음을

그저... 마음 하나 빌리다

하늘 아래 하늘 안에

달리고 달렸는데

같은 자리다

아무리 가 보았지만

하늘 아래 매여 있다

저 구름도 흩어졌다 다시 모이는

저 바람도

모두

하늘 안에 담겨 있다

비워내다

비우고 비워내고

현상을 받아들이는 연습

해가 뜨고 지듯

우리네 인생도 그렇게

언젠가 모를 정점을 기대하며

뜨고 저무는 일이 아무렇지 않게

연습을 해야 한다

그저... 마음 하나 빌리다

냉정과 열정 사이

삶에 대해
순수했던 열정이

많은 시행착오 속
냉정으로 탈바꿈되던 날

그날의 교훈을 잊어서는 안 된다

숲의 본질

숲의 본질이 나무이듯
나의 본질은 무엇일까

지금 이 순간에도
나는 잘 모르고 있다

어쩜
보이는 나와
보이고 싶은 나가
공존하는 세상 속에서
적당히 타협하며 살아남느라
진짜 나를
잊고 살아가는지도 모른다

훗날 날 사랑할 시간이 오면
내게 날 선물 하고 싶다
잊고 살았던 본질에 충실하고 싶다

그날이 오면 살며시 날 안으며
수고했다 토닥이고 싶다

그리고
생애 가장 큰 자유를 안기며

남은 생은
오롯이 내 부모가 주신
나로서 살아가겠다

울림

잠시 잠깐 스쳐 지나갔을 뿐인데
아득한 세월이었다

꿈많던 20대가 지나고
현실을 담아내는 30대가 되었다

또다시 돌고 돌아 세상살이

설움과 분노가 몸으로 스며들 때 즈음
마흔이란 나이에 서 있었고

어느 날
조곤조곤한 모습으로 사람을 너그럽게
품을 수 있게 되었을 땐

흰 머리 염색이 일상이 된
50대를 넘어서 있었다

하루하루 군데군데 아픈 곳이
늘어나기 시작했고

어느 날이었던가
사람들이 유난히 날 많이 찾고 부르는 듯하다

메아리치는 울림에
네 하고 대답을 잘도 하던 나는
70대를 넘어 80대로 살아가고 있었고

가장 행복했던 기억 속에서 살고 있었다

꽃무늬 어여쁜 옷 곱게도 껴입고
나풀나풀 날아갈 듯 가벼운 소녀인 채로
장터에 가신 엄마 아빠를 하염없이 기다리는
아이가 되어 있었다

자유를 찾아서

아팠던 오늘 같은 어제를 기억하며
살아가는 사람아

몸서리치도록 부서져 버린
맑고 맑았던 사람아

이젠 훨훨 벗어 던지고 날아가라

한 줌 재도 안되는 사람의 무게로
너무 많은 것을 붙잡고 살아왔다

놓아라
벗어라
그래야 새털처럼 날아오를 수 있다

그제야 당신 삶에도 만끽하고 팠던
부푼 자유가 드리워진다

그저... 마음 하나 빌리다

사랑하세요

떠나 보내야 알 수 있는
곁에 있을 땐 그 소중함을
깨닫지 못하다

멀어져 간 순간
또렷이 보이기 시작한다

급히 떠나는 버스에
연인을 태워 보내야 하는

그 애타는 심정으로
오늘 하루도 사랑하세요

꽃

꽃을 보고 웃지 않을 수 없다

기분이 좋아지지 않을 수 없다

우리도 누군가에게
간절한 꽃이었던 적이 있다

나에게도
당신에게도

다칠까 봐
시들까 봐

내일이 오면 이별할까 봐

걱정하며 잠든 지난 시절
사랑이었던 적이 있었다

인생은 경험치

배우고 깨닫고

이해하는 삶을 살기까지

무수한 시행착오를 겪어야 해

어느 날 인생은 경험치

이 글귀로

너무 많이 아프고
너무 많은 상처를 받았어

회복이 가능할까 의문스러울 만큼

깊은 골짜기 저 끝을 에워싸고도 남을 만큼의
네 아픔과 네 슬픔

넌 아무렇지 않게
오늘을 살아내고 있어

속이 문드러지는 썩은 내 조차
접고 접어 가슴에 품은 채로

얼마나 아팠니
네 슬픔을 위로하고 싶어

오며 가며 이 글귀 읽고 읽는 너

정말 살아줘서 견뎌줘서 고마워

우리가 어떤 인연으로 이리 만나
나는 너를 글을 통해 위로할까

그러나 널 응원해

너만큼 아파봤던 내가
다쳐봤던 내가
여기에 있기에

널 위로할 수 있어

이 글귀로

쿠션 있는 삶이 되기를

오늘
할 수 있는

딱 그만큼만
하면서 살아

무리하지도
욕심내지도 말고

쉼이 있어서
쿠션이 되어주는

그 포근함으로
내일을 또 살아갈 수 있게

그저... 마음 하나 빌리다

생과 사

겪어보지 못한 당신의 아픔을
그 누구도 이해하기 힘들 겁니다

다만
당신의 생이 그 무얼 위함도 아닌
오롯이
당신을 위한 생이 되기를 기도합니다

생과 사 그 사이에서
타인을 향한 모든 감정을 지우고
비우고 나면

당신 안에
당신 하나밖에 남지 않을 테니

미처 우리가 지금 깨닫지 못하는 것들

찰나의 기억을 떠올려 본다
숨 쉬고 웃고 뛰며 느끼는

조각난 기억의 잔재를 이어붙이고
살아있는 그때의 감정도 실어본다

작은 줄기를 따라 산과 산이 모여
하나의 산맥이 되는 것처럼
별거 아니라 치부해대던
내 삶도 네 삶도 참 웅장했구나

살아 숨 쉬며 경험한 모든 것들이 돌아보니
신이 주신 선물이 아니고서야
노력만으로는 설명되지 않는 그 무엇이었다

한없이 모자라서
홀로
고군분투해 온 삶도

그저... 마음 하나 빌리다

알고 보면 어떤 이의 숭고한 희생이란
대가가 치러지지 않고선
정당하게 누릴 수 있는 것들이 아니었다

일평생 살아오는 동안
스쳐 온 수많은 인연조차도

크고 작든 하나하나 우리가 모르는 사이에
교집합이 되어 있었다

큰 하나로 이어지는 산맥처럼
일맥상통하고 있던 거였다

비로소 우리는 마지막 생을 떠나는
순간이 되어서야 제대로 살아온 날들에
대한 감사함과 빚진 마음을 고백하며 떠나간다

고요히 살아가리

쉽사리 작은 소리에
반응치 않고

어떤 불쾌한 상황 속
요상 한 기분에도
요동치지 않는

너끈히 수백 년은 더 된
고즈넉한
버들 나무의 기상처럼

인생사
가뿐히
담아내며
살아가리

그저... 마음 하나 빌리다

노고에 답하다

무거운 짐 짊어지고 그 먼 길 걸어온다고
당신 참 애썼어요

그 짐 안에는 무엇이 들었는지

혹여나
내 짐인 줄 알고 다른 사람의 짐까지

대신 짊어지고
여태껏 걸어온 것은 아닌지

걸어온 길을 돌이켜도 보고
스스로 휴식도 주며

잠시 점검해 보는 건 어떨까요

호기로운 존재

우리의 삶은 생각보다 고초와 고난이 많다

상처에 맞서 살아내기 위한 험한
전쟁터를 방불케 하고
한 번씩 상상하지 못했던 일은 한꺼번에 찾아와
소중히 쌓아 올린 일상의 평온함마저
송두리째 흔들어 놓고 간다

그럼에도 우리는 살아냈으며 견뎌 냈다

우리에겐 이뤄내야 할 현실적인 꿈이 존재하고
시련의 절망 값 보다 지켜내야 할
삶의 가치가 더 무궁무진하기 때문이다

평범한 삶을 살아가는 그 자체로
나와 당신 우리는 참 호기로운 존재이다

인생! 철학을 논하다 1

본디 삶이 외롭고 공허하단 걸
누군가 가르쳐 줬다면
우리 삶이 좀 더 편안해질 수 있었을까

공허한 빈자리를 무엇으로 채워야 할지
누군가 알려 줬더라면
우린 좀 더 행복해질 수 있었을까

희로애락도 반복되는 인생 속
크고 작은 매듭까지도

그 누가
제때 알려 줬더라면
우린 좀 더 잘 이겨낼 수 있었을까

인생! 철학을 논하다 2

우리는 어쩌면 부질없이
여기저기 끼인 삶을
살아가는지도 모른다

차라리 뭐가 되었든
다른 하나를 놓아 버리면
얼마나 편할 일이겠는가

안타깝게도 꿈이라
포장된 욕심 때문에

무엇 하나 제대로 내려놓지
못한 채 살아간다

스스로 만든 감옥 안에 갇혀
이 모든 게 꿈을 향한 포석인 양

그저... 마음 하나 빌리다

그 무거운 짐을 한시도
내려놓지 못한 채로 말이다

나와 같은 너에게 고하고 싶다

'네가 사는 게 더 중요하다고
저 멀리 있는 꿈만 좇을 게 아니라
오늘 하루 마음 편히 살아가는 게
이 세상 무엇과도 바꿀 수 없는
행복일 거라고
저 멀리 있는 내일 말고
지금 우리 여기서 좀 더 행복 하자'
라고 말이다

폭탄머리의 인생 고찰

시인 **김동철**

크고 작은 고민을 걱정하며 살아가느라
언제 터질지 모르는
폭탄 머리를 이고 살아갑니다

평범하다면 평범하고 이상하다면 매우 이상한 사람
어떨 때는 복잡하게 어떨 때는 단순하게
종잡을 수 없이 하고 싶을 것을 하면서 살아가는
럭비공 같은 사람

글씨를 자주 쓰고 가끔은 그림을 그리고
또 가끔은 이렇게 일기처럼 글을 짓습니다
그동안 제가 살아가며 느꼈던 감정들을 적어 온
안 비밀스러운 일기장을 공유합니다

_ 시인의 말

글씨를 쓰다

글씨를 쓴다는 것
나에겐 나를 보는 행위

나는 글씨를 씀으로써
이렇게 감정을 배출하여
온전히 마주함으로
나는 나를 본다

나의 생각,
나의 행동,
나의 글,
나의 말투,

이미 엎질러진 물에
부끄러워하고
자책하며
괴로워하다가도

마지막엔 내가 나를
위로할 수 있기를
겉으로 보이는 내가 아닌
그저 온전한 나를

그저... 마음 하나 빌리다

당신과 닿은 이 순간

하루를 끝내고 버스 창가에 앉아 있다가
문득 무슨 생각이 들었는지 벨을 눌렀습니다

아직 한 정거장은 더 가야하지만
그 귀찮음을 해명할 만한 마땅한 이유도 없습니다

인도를 따라 집으로 걷는 중
조금은 쌀쌀한 가을바람이 불어옵니다

그 바람은 나무를 흔들어
애석하게 나뭇잎은 이별을 경험합니다

슬퍼 흩날리던 나뭇잎은 낙엽이 되어
운명적으로 나의 손바닥과 만납니다

이별은 또 그렇게 새로운 만남의 기회를 만들고
우연을 가장해 인연을 만들어 내나 봅니다

그러고 보니 이제야 이유를 찾았습니다
오늘 내가 그 길을 걸었던 이유는
당신과 닿은 이 순간을 겪기 위해서였습니다.

네 생각이 났어

날이 좋아서
산책을 하다가
공원에 핀 꽃을 보고
네 생각이 났어

문득 너도 내 생각을
하고 있을까 궁금함에
통화 버튼을 누르려다
문자로 꽃 사진을 보내

꽃이 참 예쁘다
널 닮았어.

그저... 마음 하나 빌리다

커피야 웃음이야

너랑 카페에 앉아
커피를 마시는데

지금 심장이
쿵쾅거리는 건

커피 때문인지
네 웃음 때문인지

아무튼 오늘 밤
일찍 자긴 글렀다.

보름달

날 보고 있나요
당신이 가장 밝게
빛나는 오늘
나는 회한에 잠겨 있어요

난 보고 있어요
당신이 나를 밝게
비추어 주는 지금
미소 띤 당신의 얼굴을

그저... 마음 하나 빌리다

웃음이 예쁜 사람

당신의 웃는 모습에
덩달아 행복해지는 밤입니다

당신의 웃음만으로도
난 행복해집니다

그래서 바랍니다
나의 말과 행동이
당신의 웃음을 만들 수 있기를

그래서 내가
그리고 당신이
행복해질 수 있기를.

위로

위로를 위한 대단한 말이 있는 게 아냐
그냥 내 얘기를
진지하게 듣고 있는 네 모습이
무슨 말을 해야 할지
고민하는 네 모습이
그렇게 나온 말이 무엇이든
이미 나는 위로가 되었어
고마워.

그저... 마음 하나 빌리다

네가 있어서 다행이야

힘든 일투성인
이 세상에

그래도

네가 있어서
정말 다행이야.

가을 여행

상상하며
설레는 그 순간
여행은 시작된다

마음이 얼어붙기 전에
가을, 탁 떠나자.

그저... 마음 하나 빌리다

여행의 끝

순간이었다
적응될 것 같지 않았지만
어제도 여기 있었던 것처럼
이미 적응은 완료되었다

각박하고 치열한 현실에 돌아왔지만
그렇기에 현실에서 벗어나 있었던
그 시간들을 천천히 곱씹고
또 가끔씩 떠올릴 테다

현실에 지쳐 있을 때
위로가 될 수 있지 않을까
피식 웃을 수 있지 않을까
덕분에 같은 추억을 공유하는

소중한 네가
떠오르시 않을까.

네 잘못이 아니야

가끔은 논리보다 무논리가 필요할 때가 있습니다

네 잘못이 아니야
그것이 무엇이든.

그저... 마음 하나 빌리다

곧 잊혀질 걱정

지금 하는 걱정은
바람과 같아

스윽 지나가서
곧 잊혀질 거야.

수성

원을 그리듯 나는 공전을 합니다
당신은 내게 태양과 같아서
주위를 맴돌며 나는 빛을 받습니다
당신은 내가 살아갈 수 있는 이유입니다

연기가 피어오릅니다
당신에게 너무 가까이 가 버린 내 마음은
이미 활활 타고 있는 지옥과 같습니다

가끔은 당신의 뒷모습에 꽁꽁 얼어붙기도 하지만요
그래도 벗어날 수 없나 봐요
당신에게서요.

너의 흔적

어느 샌가 묻어서
지우려 해도
지워지지 않는

그러다가도
어느 샌가 지워져 있는.

비상문

정말 힘들 때
쓸 수 있는
비상문이
내 인생에도
있었으면 좋겠다

그러면
그 비상문은
어디로 통하는 문일까

그저... 마음 하나 빌리다

물들어 가는 중

우린 각자의 색으로 물들어 간다
나는 천천히
너는 조금 빠르게
섞인 색이 이제는 나의 색으로

네가 떠났어도
나의 색은 돌아오지 않는 걸
널 담은 이 색이
이제는 나의 색인 걸
이 색이 나인 걸

이제야 너의 색을 받아들였는데
지금의 내 옆엔 네가 없다

서로 속도가 달라서였을까
조금 더 시간이 필요했을까
그래도 이제 나에게서 시워시지 않겠지
너는.

아기 새

이 세상에
갓 태어난 아기 새가
먹이를 물어 오는 부모 새를
하염없이 기다리듯

너라는 세상에
갓 태어난 나는
널 향해 손을 뻗고
네가 내미는 손을
하염없이 기다린다.

그저... 마음 하나 빌리다

짝사랑

손바닥 위에 별이 둥실 떠 있습니다
손가락을 오므리면 별은 잡힐 것도 같은데
손가락 사이로 빠져나가진 않을까
잘못 잡아서 부서지진 않을까
주먹을 쥐지도 펴지도 못하는
한 사람이 있습니다.

인연

인연이란 것이
가벼운 듯 무거워서
날아가 버릴 듯
날아가지 않고
날아가지 않을 듯
영영 날아간다.

그저... 마음 하나 빌리다

은행나무

가을이 금세 인사하고
손이 시린 겨우내 새벽
가로등 조명에 비춰진 은행나무를 보며
혼자 생각합니다

봄여름 겨우 키워 낸
은행과 이파리들을 떨어뜨린
은행나무가 괜히 안쓰러워
토닥이듯 툭툭 치며 한숨을 쉬었다죠

그런데 한숨에 마주하는 입김이
오히려 나를 토닥이는 듯합니다

계절은 다시 돌아오듯
은행나무는 겨우내 영양분을 모아서
다시 열매를 맺겠지요

나도 내 열매를 위해
이 수운 겨울 영양분을
모아야겠다고 생각했습니다.

인생이란 음악

우리는 모두 작곡가다
인생이란 음악을 연주하고 있다

미끄러지듯 현악기를 연주하고
부딪히듯 타악기를 연주한다
웃는 듯 우는 듯 목소리도 입히면

이 음악은 지루하다가도
가끔은 재미도 있고
하지만 산만하기 그지없는

그래서
내 인생인가 싶다.

그저... 마음 하나 빌리다

삶이란 지게를 들춰 메고

삶이란 지게를 들춰 메고
나는 무얼 향해 가는가

갈수록 늘어나는 짐을
하나 둘씩 쌓아올리고

그래도 나는
내 꿈을 향해 올라간다

어머니,
어머니,

구부정 산길에 흔들려도
조금만 참아요

나의 꿈 그 끝에는
다른 누구도 아닌
당신의 행복이 있으니

이 높은 산 정상에 올라
방해물 없는 곳에서
넓은 하늘
반짝이는 별을
헤아려 봅시다.

청춘

다 이룰 수 있을 것처럼
꿈을 꾸게 해 놓고는

지독한 현실을 보여주어
꿈을 포기하게 하는

신이 주는 것만 같은 시련.

그저... 마음 하나 빌리다

미로

미로를 헤매듯
막다른 길에
가로 막혀
왔던 길을
되돌아가더라도

그것은 확실하다
앞으로 나아가고 있는 것이다.

하늘의 변덕

구름이 둥실거리며
떠다니는 것은

보고 싶다고 외치는
닿지 못할 목소리

바람을 타고 전해 주는

그러니까
하늘의 변덕 같은 것.

그저... 마음 하나 빌리다

자서전

잔잔하던 바다에
가끔 큰 해일이 밀려오듯
나에게 힘든 일이 닥쳐올 때면
요즈음 이렇게 생각하곤 해
훗날에 쓸 내 자서전이
더 재미있어지겠구나 하고 말이야.

할머니의 전단지

나 또한
나이를 먹을 것인데

종이 하나
주머니에 넣었다가
버리면 될 것을

그게 그렇게
어려웠다 나는.

그저... 마음 하나 빌리다

이게 무슨 이기심일까

괜스레 울컥했다
난 아직도 용기가 부족하다
당신에게 미처 못다 한 얘기들을
난 당신이 영영 떠나간 이후에도
일 년에 세 번 당신을 보러 가는
특별한 날에서조차
소리 내어 말하지 못한다

이게 무슨 이기심일까
그래 놓고 당신 생각에
흐르는 눈물을
지금 이렇게
글로 받아 적는다.

쥘 것이 없어 불행을 쥐었다

나의 불행은
나만의 특별함이라고 생각했다

잘난 것이 없던 나는
내가 불행하다는 것으로
잘나고 싶었나 보다

세상 가장 불행하고
세상 가장 무능한 사람으로
세상에게 관심을 구걸하고 있었나 보다

어떨까?
나는 나의 불행을 무기로 삼아
소중한 사람들에게
휘두르고 있진 않은가?

그저... 마음 하나 빌리다

추락

한동안 둥둥 떠 있었다
난 그게 하늘인 줄 알았지
내가 뭐라도 될 줄 알았지
그저 수면 위에 떠 있었다
난 변한 게 없다.

행복의 풀밭

나는
행복을 희망하니
행운을 기대하니

불행의 반대말은
행운일까
행복일까

현실을 살아가다
불행을 마주친다면
그 속에서 나는
행복을 찾을 수 있을까

나를,
너를,
세상을 미워하지 않을 수 있을까

내 풀밭에는 행복이 가득하길 희망한다
그리고 그중에 행운 하나쯤 있길 기대한다

그저... 마음 하나 빌리다

행운을 빌어서
행운이 찾아온다면
그럴 수 있다면 얼마나 좋을까

며칠 전 복권을 샀다
알고 있었다
실망할 것을 알고 있었다
그래도 가끔은 행운을 꿈꾸며
그 상상만으로 하루를 버틸 수 있었다

이로써 새삼스레 또 한 번 느낀다

행운과는 상관없이 나는
지금 당장 행복할 수 있다.

만년설

봄이 왔다

날씨도 봄이 왔다고 한다
꽃들도 반응해서 기지개를 킨다

너에 대한 내 마음에도 봄이 왔으면 좋겠다
하지만 봄이 오긴 너무 늦은 것 같기도 해

이미 너와 난 서로의 오해를 풀지 못한 채
시간이 흘러 이렇게 꽁꽁 얼어버렸는 걸
이제는 따스한 햇볕이 천천히 녹이는 것이 아니라
폭발하듯 용암이 올라와 녹여 줘야 할 것 같다

우린 같은 감정의 산을 가지고 있겠지
서로에게 매일이 겨울이겠지
그러고 보면
우린 봄이 오는걸 딱히 바라지 않을지도 몰라.

그저... 마음 하나 빌리다

당연한 사람

집에 빈방이 생겼습니다
방의 주인은 이제 멀리 있습니다
남겨진 그는 쓸쓸한 기분에
방바닥을 손으로 쓸고 있을 뿐입니다

방의 모습은 그대로이지만
마치 공기만 다 가져가고
그리움이란 감정만 방 한가득
남겨 놓은 것만 같습니다

당연하게 있던 사람이
또 당연하게도 곁을 떠났습니다

오늘도 벌건 눈으로 천장을 보다가
손에 닿지 않는 심장을 잡으려
애쓰고 있는 그가 있습니다.

그대를 감싸 안고

지구가 태양을 등지고
모두가 잠든 것만 같은
어둠이 내려 앉아 있을 때

작은 별빛들이
내 눈동자에 비추면
별과 닮은 그대가 생각나
눈꺼풀로 감싸 안 곤 했습니다

그대가 너무 벅차
눈물로 흐를 때면
후회스러운 지난날을 붙잡고
떠나가지 못하게
잡고 있긴 했습니다.

그저... 마음 하나 빌리다

내가 너를 포기하는 방법

"서로를 향한 마음이 중요하지
내가 조금 불편한 건 참을 수 있어."
라고 말하던 내가
어느 시간에 나조차 포기하게 되었을 때,

아무것도 보이지 않고
들리지도 않아 그렇게
한참을 방황하다가
온몸에 힘이 빠져
털썩 주저앉았을 때,

그제야
내 손에 꼭 쥐고 있던
너를 놓았다

살기 위해서
그래,
나로 살기 위해서.

나와 당신의 이야기

흐르는 피아노 선율에 맞춰
머릿속에 지나가는 파노라마

그 흐릿한 필름들은
내 이야기이자 당신의 이야기

내 몸은 현재를 걸어도
나는 아득한 그 기억 속으로

마냥 그립습니다,
보고 싶습니다로 부족했던
그 이유를 이제야 알았습니다

그 필름을 가위질한 건 나였어서,
귀찮았고,
불편했고,
이해가 되지 않았어서,
내가 당신을 외로움으로 밀어냈음을
이제야 알았어서,

내가 그리워하는 것은
그때의 나도 아닌,
그때의 당신도 아닌,
그때의 나와 당신이 함께했던 시간

이건 아마도
내가 죽기 전까지 가슴에 묻어 둘
나와 당신의 이야기

내가 당신을 떠올리며 글을 쓰듯
이 이야기는 아직 끝나지 않았을 겁니다.

누군가에겐 내가

내가 지금 걷는 길은
사막이 아니길 바랍니다

내가 지금 꾸는 꿈은
식도로 넘어갈 침조차 말랐을 때 보이는
사막의 오아시스처럼
신기루가 아니길 바랍니다

내가 지금 찍는 발자국이
시시때때로 부는 바람에
지워지지 않길 바랍니다

내가 지금 걷는 길은
숲길이길 바랍니다

내가 지금 꾸는 꿈은
오르다 오르다 언젠가는 도착할
산꼭대기에서 마주하길 바랍니다

내가 지금 찍는 발자국이
훗날 같은 산을 오를 사람들의
이정표가 될 수 있길 바랍니다

그저... 마음 하나 빌리다

나는 이렇게 길을 걸었고
나라는 사람이 세상에 다녀갔다
누군가가 알 수 있길 바랍니다

누군가가
네가

누군가에게는 내가
특별한 사람이 될 수 있길 바랍니다.

해피 엔딩이거든요

봄이 스쳐 지나가고
여름이 인사합니다
가을이 문을 열더니
겨울이 들어왔습니다

마음 속 깊은 방에서
계절이 얼마나 지나갔을 무렵에
영원 같던 시간을 버려 온 당신은
드디어 빛을 내기 시작했습니다

인생이란 드라마에
주인공은 등장했습니다

힘든 일은 계속 찾아오겠지만
결말은 정해져 있습니다

해피 엔딩이거든요.